Scoil na bPáistí Deasa

scríofa ag Patricia Forde

maisithe ag Joëlle Dreidemy

Leabhair eile le Patricia Forde
áta foilsithe ag Futa Fata:

Cití Cearc
Binjí – Madra ar Strae
Mise agus an Dragún

Caibidil 1

Scoil na bPáistí Deasa

Ahoy! Is mise Lísín. Is mé an t-aon fhoghlaí mara i Scoil na bPáistí Deasa. Sé sin le rá – an t-aon fhoghlaí mara go dtí seo!

Ní dúirt Daid ná Mam rud ar bith faoi bheith ag dul ar scoil go dtí an lá ar tháinig Garda ar cuairt chuig *An Dragún Draíochta*.

Bhí mo pheata Gúntar ina chodladh i hata Dhaideo ag an am, agus bhí mise ag imirt cluiche 'Siúil an Planc' le Mamó.

Bhí Gúntar, mo pheata beag, ina chodladh i hata deas compórdach.

Labhair an Garda le Daid.

Labhair sé le Mam. Ansin, d'imigh sé leis.

"Anois a Lísín," arsa Mam. "Dúirt an Garda sin linn
... dúirt sé ... go gcaithfidh tú dul..."
"Ar scoil!" arsa Daid.
"Ar scoil?" arsa mise.
"Sea, ar scoil," arsa Daid.
"Cén fáth?" arsa mise.

"Mar…" arsa Daid.

"Mar?" arsa mise.

"Mar nach bhfuil foghlaí mara ar bith fágtha ar an bhfarraige!"

"Agus.. agus beidh ortsa foghlaithe mara a dhéanamh de na páistí deasa sin ag an scoil!" arsa Mam.

9

Agus sin an fáth go bhfuil mé ag freastal
ar Scoil na bPáistí Deasa.

Tá sé suimiúil bheith ar scoil le páistí deasa,
ach beidh jab agam foghlaithe cearta a dhéanamh
astu. Na rudaí aisteacha a bhíonn ar siúl acu!

An lá cheana, d'iarr Múinteoir Sailí orainn ár gcuid
peataí a thabhairt isteach agus insint
don rang fúthu.

Bhí an seomra lán de pheataí agus páistí deasa
nuair a rith Múinteoir Breandán isteach.

12

"Tá eochracha na scoile caillte agam!" ar seisean.
"Agus leath na seomraí fós faoi ghlas!" "Níl siad
anseo ar aon nós," arsa Múinteoir Sailí. Amach le
Múinteoir Breandán arís agus fuadar faoi.
"Anois," arsa Múinteoir Sailí. "Na peataí deasa!"

Caibidil 2

Na Peataí

Chuaigh Claudine
suas chuig barr an ranga.
"Seo mo phúdal Eiffel," ar sí.

Bhí púdal beag bán ina baclainn aici agus ribín
ar a cheann. Bhí ribín díreach cosúil leis ag
Claudine í féin. Caithfidh go raibh an madra náirithe.
Dá gcuirfeá ribín ar mo pheatasa bhainfeadh sé
greim asat!

"Tá Eiffel in ann suí síos nuair a deirtear leis é!"
arsa Claudine. "Úúú!" arsa na páistí deasa.

Suí síos? Níor thuig mé cén fáth go raibh siad chomh tógtha leis an scéal sin. Nach mbíonn gach madra in ann suí síos?

Ansin suas le hEoin Searlús agus a chat. "Seo Fífí,"
ar sé. "Is cat álainn í agus is breá léi...siúcra!"

18

Thóg sé amach mála siúcra is thug sé slám mór dó
don chat. Siúcra!

"Anois a Lísín," arsa Múinteoir Sailí liomsa.
"Céard fútsa?"

Is ansin a tharraing mé Gúntar amach as mo phóca.

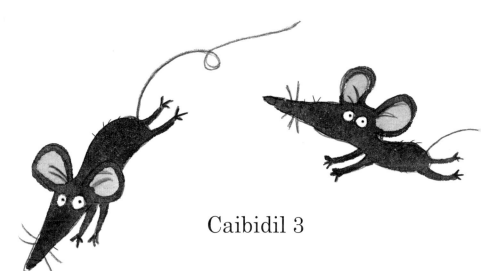

Caibidil 3

Mo pheata beag féin

"Seo Gúntar," arsa mise. "Is francach é. Breathnaigh ar na fiacla fada géara atá aige!"
Bhuel dá gcloisfá an raic! Cheapfá go raibh mé tar éis *leon* a tharraingt amach as mo phóca.

Thit Eoin Searlús i laige. (Uaireanta, ní dóigh liom gur féidir foghlaí mara a dhéanamh d'Eoin Searlús.) Dhoirt an siúcra ar fud an urláir.

Léim Gúntar as mo lámha.

D'oscail an doras.

Amach le Gúntar.

Isteach le Múinteoir Breandán.

"Céard tá ar siúl anseo?" ar seisean.

Mhínigh Múinteoir Sailí gach rud dó. "Francach?"
a bhéic sé. "De réir riail 445567, níl cead francaigh
a thabhairt isteach sa scoil! Beidh orm é seo a
insint don chigire. Ní bheidh sé pioc sásta!"

Caibidil 4

Cá ndeachaigh Gúntar?

"A leithéid de lá!" arsa Múinteoir Breandán. "Ar
dtús, chaill mé na heochracha – agus anois,
francach ag rith thart ar an scoil!"
Bhí dath geal ar a éadan.

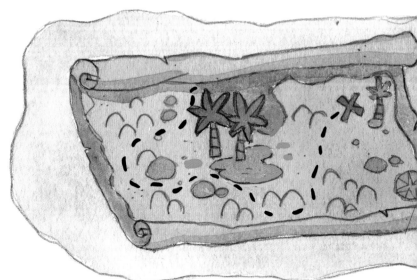

"Gheobhaidh mise é!" a dúirt mé leis. "Tá an-taithí agamsa a bheith ag tóraíocht taisce agus a leithéid."

Ar dtús, d'fhéach mé ar an urlár, ag lorg leide. Is ansin a chonaic mé é – marc cosa francaigh sa siúcra!

Rith muid linn: mise, Múinteoir Sailí,
Múinteoir Breandán agus na páistí deasa ar fad.

"Ní sa leabharlann atá sé!" arsa Múinteoir Breandán.
"Tá an leabharlann faoi ghlas ó mhaidin!"

Tháinig muid chomh fada le doras. Oifig an
Phríomhoide a bhí ann. D'oscail mé an doras.
Tada!
"Níl sé anseo!" arsa Múinteoir Breandán.

"B'fhéidir gur féidir le na peataí cabhrú linn!"
arsa Múinteoir Sailí. "Céard faoi do chat, a Eoin
Searlús?"

31

Chuir Fífí a srón ghalánta san aer.

"Uuuch!" arsa Eoin Searlús. "Ní maith le Fífí
francaigh! Is maith léi siúcra agus siúcra amháin!"

"Céard fútsa a Chlaudine?" arsa an múinteoir. "An
bhfuil Eiffel in ann teacht ar an bhfrancach seo?"
Leis sin, shuigh Eiffel síos go tobann.

"Ní dóigh liom é!" arsa Claudine. "Níl aon taithí ag Eiffel ar rud DAINSÉARACH cosúil leis an bhfrancach sin!"

"Sin é, mar sin," arsa Múinteoir Breandán.
"Caithfidh mé glaoch ar an gcigire agus
 gach rud a insint dó!"
 Cigire?

Bhí orm an scéal seo a chur ina cheart. Go tapa!

Caibidil 5

Gúntar Glic

Bhain mé amach mo theileascóp agus bhreathnaigh mé tríd. Rinne mé scrúdú géar ar an oifig sin.
Ní mórán a bhí ann.
Deasc…cathaoir…cófra…teidí…hata.
Fan!

Hata?
Hata deas compórdach....
Anonn liom chuig an hata.
D'fhéach mé isteach ann.

"Ahoy!" arsa mise. "Gúntar!"
Bhí Gúntar ina chodladh sa hata!
Phioc mé suas é.

Is ansin a chonaic mé go raibh rud éigin eile sa hata.
Rud éigin a bhí *faoi* Ghúntar.

Sea mhuis! Eochracha na scoile!
"Maith thú a Ghúntair!" arsa Múinteoir Sailí.
"Maith thú a Lísín!"

"Bhuel," arsa Múinteoir Breandán.
"Tá na heochracha ar ais agam. Agus cé nach bhfuil
sé ceadaithe francach a thabhairt ar scoil...sa chás
seo...tá sé ceart go leor!"

"Anois a pháistí deasa," arsa mise. "Tá súil agam go bhfeiceann sibh gurb é an peata is fearr ar domhan ná francach!"

"Ach ná bíodh imní oraibh, gheobhaidh mé peata francaigh do gach duine agaibh, mar a bhíonn ag gach foghlaí mara!"

Nuair a chuala Eoin Searlús é sin, thit sé i laige arís.

Amárach lá na dtuismitheoirí. Tá mé ag súil go mór leis.

Meas tú an mbeidh cead pearóid a thabhairt
isteach i Scoil na bPáistí Deasa?
Ní bheadh a fhios agat leis an dream seo.

Sea mhuis! Is mise Lísín. Is mé an t-aon fhoghlaí
mara i Scoil na bPáistí Deasa.
Sé sin le rá - an t-aon fhoghlaí mara go dtí seo!